1

7

9

2

4

10

6

3

8

5

1₂3

分类和顺序

学习以事物的特征为标准进行分类
以及根据顺序排列事物的方法。

图书在版编目（CIP）数据

你好！数学：最亲切的数学概念启蒙图画书精编版. 第1阶段 / (韩) 郑
熙龙等著；(韩) 钱山等绘；仇艳等译. —武汉：长江少年儿童出版社，2015.5
ISBN 978-7-5560-2671-5

I. ①你… Ⅱ. ①郑…②钱…③仇… Ⅲ. ①数学课—学前教育—教学参考
资料 Ⅳ. ①G613.4

中国版本图书馆 CIP 数据核字（2015）第 073019 号

你好！数学 · 最亲切的数学概念启蒙图画书精编版 03

 雪人
（第1阶段 / 分类和顺序）

原   著：文 / 郑熙龙等（韩） 图 / 钱山等（韩） 译 / 仇艳等
丛书策划：梁 崴
责任编辑：梁 崴 冯 云
美术设计：新奇遇文化

出 品 人：李 兵
出版发行：长江少年儿童出版社
经   销：新华书店湖北发行所
印   刷：湖北恒泰印务有限公司

开本印张：12 开 30 印张
版   次：2015 年 5 月第 1 版 2015 年 5 月第 1 次印刷
书   号：ISBN 978-7-5560-2671-5
定   价：200.00 元（全 10 册）

业务电话：（027）87679179 87679199
http://www.cjcpg.com

你好！数学 · 最亲切的数学概念启蒙图画书 精编版

千万亚洲妈妈亲子阅读首选
韩国图书最高政府奖——文化观光部教育经营大奖
韩国三大图书销售网络五颗星★★★★★推荐图书
韩国"每天一卷，博览3000"儿童阅读推广计划重点图书

雪人

文／郑熙龙等(韩)　图／钱山等(韩)　译／仇艳等

长江出版传媒 ｜ 长江少年儿童出版社

2

有一天，鹅毛大雪飘飘扬扬下了很久，
村里的孩子们玩起了堆雪人。
孩子们欢呼："哇，多么漂亮的雪人啊！"
夜幕降临了，孩子们回家了。

夜深了，
三个雪人醒来了。

4

他们很无奈地说：

"我的帽子为什么这么大啊？"

"啊，我的铁锹为什么这么短啊？"

"我的纽扣又是怎么回事啊……"

5

"我们重新整理一下吧。"

"是啊，是啊。"

三个雪人把帽子、铁锹、纽扣放到了雪地上。

"啊，东西太多了，头好晕啊！哪个帽子是最大的？"

"哪个铁锹比较长，哪种纽扣比较多，真是搞不清楚啊。"

"我们按照顺序，把帽子、铁锹、纽扣，一样一样重新摆放吧。"

三个雪人先将帽子从**大**到**小**放到雪地上。
最大的帽子，中等大的帽子，最小的帽子！
"帽子放好了。"

8

接下来将铁锹从长到短放到雪地上。

最长的铁锹，中等长的铁锹，最短的铁锹！

"铁锹也放好了。"

10

接下来将纽扣从**多**到**少**放到雪地上。
6 颗纽扣，4 颗纽扣，2 颗纽扣！
"纽扣也放好了。"

13

现在，我们自己也该按顺序站好了。
最大的雪人，中等大的雪人，小雪人！
"好了，我们也已经站好了。"

14

大帽子大雪人，
中等大的帽子中等大的雪人，
小帽子小雪人！
"现在帽子戴好了！"

17

长铁锹大雪人，
中等长的铁锹中等大的雪人，
短铁锹小雪人，
"现在铁锹也分好了！"

19

20

6 颗纽扣大雪人，
4 颗纽扣中雪人，
2 颗纽扣小雪人，
"啊，现在纽扣也分好了！"

"好了！现在我们回到原来的位置吧，不要吓着孩子。"

大雪人，中雪人，小雪人！
"不对，不对，一开始不是这样子站的。"
三个雪人慌里慌张，不知道该怎么办才好。

"真是的！帽子、铁锹、纽扣都和原来不一样了。"

"真的呢，要重新换回来吗？"

"是啊，该怎么办呢？"

三个雪人急得咚咚直跺脚。

此时，大雪人突然说：

"快看那边的天空！是星星三兄弟！"

黎明时分的天空上，

三颗星星亮晶晶的，一闪一闪地眨着眼睛。

三个雪人暂时忘记了担忧，

相互依偎着，欣赏着天空中美丽的星星。

天亮了，孩子们欢快地跑出来了。

"哦，好像有谁把雪人移动了。"

"哇，是真的啊！"

"是谁做的呢？"

三个孩子盯着雪人，一个劲儿地摇头。

不过，这样不是挺好吗？！

27

根据顺序排列事物

　　本书通过讲述三个雪人分别按照大小、长度、数量等顺序排列帽子、铁锹、纽扣的故事，让孩子们了解根据顺序排列事物的方法。

　　为了使孩子能够熟悉按照顺序对事物进行排列，首先要理解能成为事物之间比较标准的某个特征。因此父母在讲解的时候应该强调帽子用大小、铁锹用长短、纽扣用数量的比较标准。此时可以将家中的帽子或者纽扣集中在一处，并给孩子提出"这里最大的雪人戴的帽子应该是哪个呢？我们找一下最小的雪人戴的帽子好吗？"等类似的问题，以实际物品为例进行说明，帮助孩子简单明了地理解问题。

　　孩子理解了比较标准之后，可提出"我们将帽子从最大的开始排列一下试试吧？"等问题，让孩子亲自体验，按照比较标准的顺序对事物进行排列。就算是同样的对象，根据比较标准的不同，排列方式也会有所变化，这一点要让孩子明白。父母不应拿太多东西进行实际排列，从三个物体开始排列比较合适。东西如果太多，孩子在比较物体的差异进行排列的时候，会有困难。

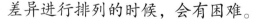

和孩子一起做的数学游戏
想成为第一

　　游戏规则：为了成为第一，大家轮流着说一个比较标准，之后进行游戏，谁得到的第一最多，谁就是胜方。

　　玩游戏时，父母要让孩子充分理解长度、大小、重量等能成为事物的比较标准的特征，并引导孩子按照顺序进行排列。

✖ 全家人都聚在一起，制定能够判定第一的比较标准。

✖ 爸爸首先喊："脚的长度最长的人是第一！"然后爸爸，妈妈，孩子相互比较脚的长短，然后按照顺序进行排名。

✖ 下一轮妈妈喊："头发最长的人是第一！"这次爸爸、妈妈、孩子相互比较头发的长短，然后按照顺序进行排名。

✖ 孩子喊："手最小的人是第一！"然后大家都将手伸出来，比较大小后按照顺序进行排名。

✖ 用同样的方法每个人轮流说出一个比较标准，进行三四轮游戏，最后得到第一最多的人就是胜者。

手最小的人是第一，所以这次我们的小燕是第一啊！

有趣的数学问题①

该用什么样的顺序整理呢？

三个雪人说要将东西重新整理一下。仔细观察图画，铁锹、帽子、纽扣是按怎样的顺序排列？在正确的词上画〇表示。

1
你好，我是大雪人。按照（长度，数量）（长的，多的）顺序将铁锹整理好了！

2
你好，我是中等大的雪人。按照（长度，大小）（长的，小的）顺序将帽子整理好了！

3
你好，我是小雪人。按照（大小，数量）（多的，小的）顺序将纽扣整理好了！

有趣的数学问题②

画出图画中漏掉的东西

三个雪人整理的东西中有一个漏掉了，请在空白的地方画出漏掉的物品。

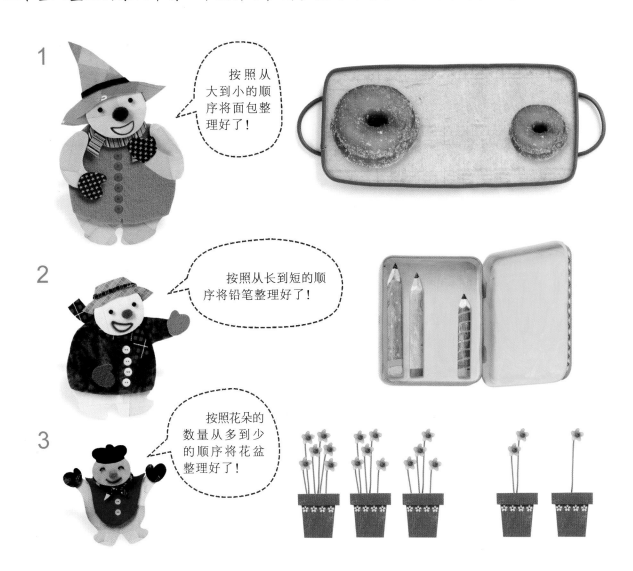

1　按照从大到小的顺序将面包整理好了！

2　按照从长到短的顺序将铅笔整理好了！

3　按照花朵的数量从多到少的顺序将花盆整理好了！

31

培养思维的数学活动

不太明显,该怎样排列顺序呢?

三个雪人到一个女生家里去玩,她非常擅长按照顺序整理物品。但是有些物品看不出是按什么顺序排列的。

模样和大小都相似,是按照什么顺序排列的呢?

从旁边看,就可以知道标准了!

按照书的厚度从厚到薄整理图书。

模样和大小都相似,是按照什么顺序排列的呢?

比较一下重量就可以知道标准了!

按照重量由轻到重排列箱子。

32

按照容量由少到多排列果汁杯。

前面学习了按照事物的大小、长短、数量等顺序的排列方法。此外，还要让孩子知道按照厚度、重量、体积等比较标准进行顺序排列的方法。还可以将孩子在日常生活中经常接触到的书、铅笔、水果等拿出来进行直接观察，引导孩子判断根据何种标准排列事物。

你好！数学 1~30册

最亲切的数学概念启蒙图画书

<table>
<tr><td colspan="3" align="center">第1阶段</td></tr>
<tr><td>主题</td><td>序号</td><td>书名</td></tr>
<tr><td rowspan="1">图形和空间</td><td>01</td><td>我家有只大狮子</td></tr>
<tr><td rowspan="2">分类和顺序</td><td>02</td><td>郊游去</td></tr>
<tr><td>03</td><td>雪人</td></tr>
<tr><td rowspan="3">数和数数儿</td><td>04</td><td>哎哟哎哟，有人吗？</td></tr>
<tr><td>05</td><td>十只熊，一个家</td></tr>
<tr><td>06</td><td>长长恐龙，短短恐龙</td></tr>
<tr><td rowspan="3">量和比较</td><td>07</td><td>鳄鱼和鳄鱼鸟</td></tr>
<tr><td>08</td><td>船夫大叔</td></tr>
<tr><td>09</td><td>明天什么时候来？</td></tr>
<tr><td>规律性</td><td>10</td><td>小精灵</td></tr>
</table>

<table>
<tr><td colspan="3" align="center">第2阶段</td></tr>
<tr><td>主题</td><td>序号</td><td>书名</td></tr>
<tr><td rowspan="2">图形和空间</td><td>11</td><td>巫婆与三颗星星的故事</td></tr>
<tr><td>12</td><td>动物合唱团</td></tr>
<tr><td rowspan="2">分类和顺序</td><td>13</td><td>咕咚先生</td></tr>
<tr><td>14</td><td>小狮子，大莱恩</td></tr>
<tr><td rowspan="2">数和数数儿</td><td>15</td><td>李家猪，张家猪</td></tr>
<tr><td>16</td><td>装得满满的篮子</td></tr>
<tr><td rowspan="3">量和比较</td><td>17</td><td>忧虑虫，麦尔龙</td></tr>
<tr><td>18</td><td>勇敢敏捷的猫</td></tr>
<tr><td>19</td><td>鸭子叔叔的时钟</td></tr>
<tr><td>规律性</td><td>20</td><td>失踪的皮诺博士</td></tr>
</table>

<table>
<tr><td colspan="3" align="center">第3阶段</td></tr>
<tr><td>主题</td><td>序号</td><td>书名</td></tr>
<tr><td>图形和空间</td><td>21</td><td>小兔子滚铁环</td></tr>
<tr><td>分类和顺序</td><td>22</td><td>朵利只喜欢大的</td></tr>
<tr><td rowspan="3">数和数数儿</td><td>23</td><td>数豆粒儿</td></tr>
<tr><td>24</td><td>世上我最讨厌计算</td></tr>
<tr><td>25</td><td>皮特与魔法棒</td></tr>
<tr><td rowspan="3">量和比较</td><td>26</td><td>树叶尺子</td></tr>
<tr><td>27</td><td>驼背奶奶与老虎</td></tr>
<tr><td>28</td><td>多少？这么多！</td></tr>
<tr><td rowspan="2">规律性</td><td>29</td><td>杂乱无章的数字</td></tr>
<tr><td>30</td><td>青蛙三剑客与纽扣小偷</td></tr>
</table>